S0-BVY-140

À cœur vaillant, rien d'impossible.
OL

À Batman.
ET

Le loup
qui voulait être un super-héros

Texte de Orianne Lallemand
Illustrations de Éléonore Thuillier

AUZOU

Un matin, en se regardant dans son miroir, Loup eut une idée.
Et s'il devenait un super-héros ?
« Ce serait fantastique ! s'écria Loup. J'aurais un joli costume,
je sauverais les gens et tout le monde m'adorerait ! »

Au fond de lui, Loup se disait aussi que sa Louve chérie serait
très fière de lui.

Pour devenir un super-héros,
il faut un super-nom.

« Comment vais-je m'appeler ?
Spiderloup ? Non, je déteste
les araignées. Batloup ?
Superloup ? Trop banal.

Je sais ! Moi, je serai
Super-Extra-Fabuloup ! »

Pour devenir un super-héros,
il faut un super-costume.
Loup alla frapper chez Demoiselle Yéti, c'était une couturière hors pair.

« Bonjour Titi, la salua Loup. Peux-tu me fabriquer un costume de super-héros, s'il te plaît ?

– Toi ? Un super-héros ? le taquina Demoiselle Yéti. Et quels sont tes super-pouvoirs ? »

Loup réfléchit un moment, puis il répondit :
« Je ferai tellement rire les méchants qu'ils ne pourront plus se battre. Et je les vaincrai facilement. »

Demoiselle Yéti rigola
si fort que la maison
manqua s'écrouler.
Un peu inquiet, Loup se dit
qu'il devait apprendre
à contrôler son super-pouvoir
pour ne mettre personne
en danger.

Tout en pleurant de rire, Demoiselle Yéti confectionna à Loup
un costume super-époustouflant. Avec des ailes intégrées,
au cas où il aurait besoin de voler.
« Avec toi, on ne sait jamais ! » dit-elle.

Avec son masque et sa cape assortis,
Loup était vraiment super-beau.

Ainsi habillé, Loup partit
se promener dans la forêt.
Il avait hâte de voir l'effet
qu'il ferait.
Passé le premier virage,
il se trouva nez à nez
avec Gros-Louis.

« Salut Loup, fit son ami.
C'est carnaval aujourd'hui ?
– Vous faites erreur, Monsieur,
répondit Loup d'une voix grave,
je m'appelle Super-Extra-Fabuloup
et je suis un super-héros.

– Oh, pardonnez-moi ! s'exclama Gros-Louis.
Mais alors, si vous êtes un super-héros, vous devez être super-fort ?
– En effet, répondit Loup en bombant le torse.
– Dans ce cas, pourriez-vous m'aider à ranger ce tas de bois ?
Je suis un peu faible, vous savez... »

Loup trouva que
Gros-Louis exagérait,
mais il accomplit
cette première mission
avec succès.

Pour être un super-héros,
il faut quelqu'un à sauver.

Sur son chemin,
Loup aida deux
escargots à traverser

et il rendit à ses parents
un oisillon tombé du nid.

« Tout ceci est bien gentil, se dit Loup, mais il est temps de trouver une mission digne de moi. »

C'est à cet instant précis qu'il entendit des cris...

Sans perdre un instant, Loup fonça entre les arbres et déboucha près de la rivière. Louve et ses amies jouaient à la balle dans l'eau. « À moi ! À moi ! » criait Louve.

Ni une ni deux, Loup plongea et traîna sa Louve chérie
jusqu'au rivage.
« Qu'est-ce qui te prend, Loup ? hurla-t-elle en recrachant de l'eau.
On s'amusait, c'est tout !
– Heu, désolé, fit Loup, je pensais que tu te noyais… »

Mortifié, Loup s'éclipsa rapidement. Ce n'était pas comme cela que Louve allait être épatée… Il devait se rattraper et faire un coup d'éclat ! Oui, mais quoi ?

Levant les yeux vers le ciel, Loup aperçut
alors Joshua. Le pauvre ! Il était coincé
tout en haut d'un arbre.
« Tiens bon, Joshua, j'arrive ! »
lui cria Loup.

Loup s'élança à l'assaut de l'arbre... qui plia... et patatras !
Les deux amis basculèrent dans le vide. Loup réussit à déplier
ses ailes... un peu trop tard malheureusement !

« Qu'est-ce qui t'a pris, Loup ? soupira Joshua. À cause de toi,
ma nouvelle paire de jumelles est cassée.

– J'ai cru que tu étais en danger, je voulais te sauver, expliqua Loup.
Je suis Super-Extra-Fabuloup !

– Super-Reloup, tu veux dire ! » ronchonna Joshua.

Museau bas, Loup se traîna jusqu'à la rivière. Il en avait assez de jouer les super-héros. C'était un vrai fiasco...
Près de l'eau, la barque de Gros-Louis se balançait doucement. Loup se glissa à l'intérieur et il s'endormit aussitôt.

Bien mal lui en prit !
Pendant qu'il dormait, le vent se leva
et entraîna le petit bateau
mal attaché dans le courant...

Loup fut réveillé en sursaut : prise de folie, la barque tournoyait dans tous les sens. **OUH LA !** Il était dans un sacré pétrin, cette fois ! Sur la rive, ses amis, paniqués, l'appelaient.

« Misère, il n'a pas
de rames, se désola
Louve. Et il y a
une chute d'eau
juste après ce
bouquet d'arbres,
il va se noyer...
Il faut l'aider !

– Comment ? fit Valentin.
Il est bien trop loin. »

Mais déjà Louve
s'était élancée.

Rapide comme l'éclair, Louve fila le long
de la rive. Avec agilité, elle escalada un arbre
et attendit que l'embarcation passe au-dessous.
Elle se laissa tomber et atterrit sur Loup.

« Mais que fais-tu ici ? cria Loup, ébahi.
– Je viens te sauver, voyons ! hurla Louve.
Allez ! Ramons chacun d'un côté ! »

De toute la force de leurs pattes, les deux loups se mirent à ramer
et peu à peu, la barque se rapprocha de la rive. Quand ils furent
assez près, Valentin se précipita pour les aider à accoster.
OUF ! Ils étaient sains et saufs.

Tout penaud, Loup prit la patte de Louve.
« Merci Louve, tu m'as sauvé, murmura-t-il. Moi qui voulais être ton super-héros, c'est raté...

– Tu es mon héros à moi, c'est déjà bien assez, répondit Louve.
Et je t'aime comme tu es, avec tes défauts et toutes tes qualités ! »

Direction générale : Gauthier Auzou
Responsable éditoriale : Agathe Lème-Michau
Éditrice : Marjorie Demaria
Maquette : Anne Jolly
Responsable fabrication : Jean-Christophe Collett
Fabrication : Virginie Champeaud
Relecture : Lise Cornacchia

**Produit conçu et fabriqué sous système de management de la qualité
certifié AFAQ ISO 9001.**
www.auzou.fr

Rejoignez-nous sur Facebook et suivez l'actualité des Éditions Auzou.
www.facebook.com/auzoujeunesse

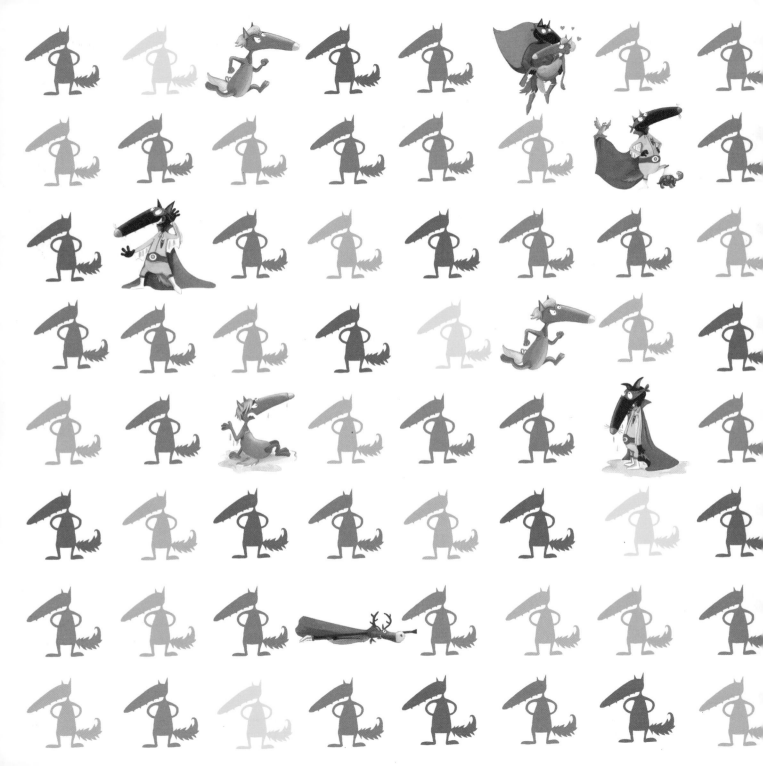